Mon p[...] dictionnaire des METIERS

texte de Marie-Renée Pimont
images de Trish Lengyel

Cerf-volant

A a 𝒜 a

agriculteur

Il cultive les terres de la ferme, moissonne et engrange les récoltes, soigne les animaux.

architecte

Il dessine la maison c correspond au désir c son client, puis dirige le travail des artisans.

ambulancier

Il transporte malades et blessés jusqu'à l'hôpital dans une voiture spéciale appelée « ambulance ».

artiste-peintre

Il se consacre à l'art de la peinture. Il expose ses tableau: dans des galeries.

avocat

plaide la détense de
n client, accusé devant
tribunal. Son discours
appelle une plaidoirie.

boucher

Il découpe, puis vend de
la viande, rôti, steak,
escalope, ainsi que du
jambon, du saucisson.

bijoutier

vend et parfois répare
s bijoux exposés dans
a bijouterie : bagues,
lliers, bracelets...

boulanger

Il se lève très tôt pour
fabriquer toutes sortes
de pains qu'il vendra
dans sa boulangerie.

bûcheron

Il travaille dans la forêt, où il abat des arbres avec une hache ou une tronçonneuse électrique.

caméraman

Avec sa caméra, il filr des images qui seron diffusées au cinéma o à la télévision.

berger

Aidé par son chien, il garde et soigne les moutons, qu'il emmène passer l'été en montagne.

cascadeur

Il présente des numéros cascade : chutes, sauts Il remplace les acteurs da les scènes dangereuses

chauffeur de taxi

conduit son client à endroit demandé. Le rix de la course est ndiqué sur le taximètre.

chirurgien

Médecin qui utilise des instruments comme le bistouri pour opérer les malades ou les blessés.

chercheur

aide la science à ire de nouvelles écouvertes pour mieux omprendre le monde.

coiffeur

Il coupe et coiffe les cheveux des clients qu'il reçoit dans son salon de coiffure.

C c *C c*

comédien

Acteur qui joue la comédie, interprète des rôles pour le cinéma, le théâtre, la télévision.

couturière

Elle confectionne le vê ment demandé par cliente, fait des retouch répare les accrocs.

conducteur de train

De sa locomotive, il surveille la bonne marche du train qu'il mène d'une gare à une autre.

couvreur

Pour faire le toit d'une maison, il recouvre la charpente avec des tui ou avec des ardoises.

D d 𝒟 d

cuisinier

prépare les menus, fait
cuisine, présente les
ats à servir à la
antine, au restaurant.

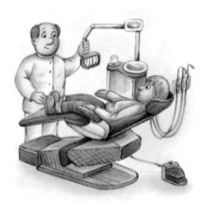

dentiste

Chirurgien qui soigne les
dents, qui les redresse
ou les remplace avec
des appareils dentaires.

danseuse

lle s'exerce chaque jour à
voluer sur une musique,
in de se produire dans
n spectacle de danse.

dessinateur
industriel

Il dessine des objets sur
toutes les faces, envoie
les plans à celui qui
devra les fabriquer.

E e *ℰ e*

dresseur de chien

Il dresse les chiens à
défendre leur maître,
à guider un aveugle, à
rechercher un disparu.

électricien

Il installe dans la maison
des fils électriques, des
prises et des interrupteurs
Il vient faire les dépannage

éditeur

Il crée et fabrique
des livres qu'il fait
écrire par des auteurs
et les vend en librairie.

facteur

Il circule à vélo ou en
voiture pour distribuer
le courrier dans les
boîtes à lettres.

fleuriste

ans sa boutique, elle
'occupe des fleurs et
ompose les bouquets
u'elle va vendre.

grutier

Il manœuvre la grue pour
faire de grands trous
destinés à la construction
de grands bâtiments.

garagiste

surveille la bonne marche
garage : réparations,
rvice de l'essence et
vage des voitures.

guide

Il fait découvrir la
montagne à ses clients.
Il les emmène parfois
sur les hauts sommets.

horloger

Il vend des horloges et des montres. Il les répare aussi, car il connaît bien leur mécanisme.

illustrateur

Artiste qui fait des dessins en rapport ave le texte qu'il doit illustrer.

hôtesse de l'air

Elle accueille les passagers dans l'avion, veille à ce que le voyage se déroule agréablement.

imprimeur

Dans son imprimerie, contrôle la fabrication et le tirage de livres, de journaux, d'affiches

infirmière

[E]lle donne aux malades
[le]s soins prescrits par
[le] médecin. Elle travaille
[à] l'hôpital ou à domicile.

instituteur

Il enseigne aux enfants
la lecture, l'écriture,
le calcul. On l'appelle
le « maître d'école ».

informaticien

[E]n tapant sur un clavier,
[il] introduit chiffres et
[let]tres dans l'ordinateur,
[qu]i calcule rapidement.

jardinier

Il cultive les légumes,
récolte les fruits,
s'occupe des fleurs
et des arbustes.

journaliste

Il rédige des articles pour un journal ou présente les informations à la radio, à la télévision.

livreur

Il charge dans son véhic[u]
les objets commandés [p]
le client, les emporte a[u]
domicile de celui-ci.

libraire

Il commande des livres, qu'il vend dans sa librairie. Il aide ses clients à faire leur choix.

maçon

Il construit des murs de
parpaing ou de brique,
qu'il fait tenir ensemble
avec du ciment.

mannequin

…participe aux défilés de …ode, vêtu(e) des modèles … la nouvelle collection …un grand couturier.

médecin

Il prescrit aux malades, aux blessés, les médicaments qui les guériront ou qui calmeront la douleur.

mécanicien

…ravaille dans un garage. …répare les voitures, …s révise pour contrôler …ur bon fonctionnement.

menuisier

Il choisit des planches de bois qu'il scie, rabote, assemble pour en faire des meubles.

militaire

Il fait partie de l'armée.
Il sera appelé à défendre
son pays si celui-ci
entre en guerre.

moniteur de sk

Il donne des cours de
ski aux débutants et
aux skieurs qui veule
se perfectionner.

musicien

Il joue d'un instrument
de musique. Il donne des
concerts soit en soliste
soit dans un orchestre.

nourrice

Dans sa maison, elle
s'occupe d'un ou de
plusieurs enfants don
les parents travaillent

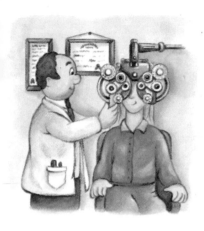

ophtalmologiste

soigne les personnes qui
t une maladie des yeux.
prescrit des lunettes à
lles qui voient mal.

peintre

Muni de rouleaux et de
pinceaux, il recouvre de
peinture murs, portes et
fenêtres des bâtiments.

opticien

vend des montures de
nettes. Il y adapte
s verres prescrits
r l'ophtalmologiste.

pharmacien

Dans sa pharmacie, il
vend ou il prépare lui-
même les médicaments
prescrits par le médecin.

P p 𝒫 𝓅

photographe

Il vend des appareils
photo et des pellicules.
Il prend des photos qu'il
développe dans son
laboratoire.

plombier

Il installe et répare
tuyaux et robinets qui
amènent l'eau ou le g
dans les habitations.

pilote

Il conduit un avion d'un
aéroport à un autre en
suivant un trajet
précis dans le ciel.

poissonnier

Dans sa poissonnerie
vend toutes sortes de
poissons, de fruits de
mer et de crustacés.

policier

fait respecter l'ordre
ublic. Il surveille la
rculation et intervient
n cas d'accident.

professeur de gymnastique

Il enseigne à ses élèves
des exercices qui les
aideront à devenir
souples, forts et rapides.

pompier

éteint le feu avec un
tincteur ou une lance
eau. Il grimpe parfois
r sa grande échelle.

quincailler

Dans sa quincaillerie,
il vend des objets qui
serviront pour le ménage,
la cuisine, le bricolage.

radiologue

Il prend des photos qui montrent l'intérieur du corps, pour voir si l'on est blessé ou malade.

secrétaire

Elle prend rapidement n du courrier à envoyer, ta à la machine, prépare range les dossiers.

routier

Il conduit un camion chargé de marchandises qu'il emporte loin, parfois même à l'étranger.

serveur

Il travaille dans un ca ou dans un restauran apporte aux clients le boisson ou leur repas

styliste

...le invente des vêtements,
...eubles, objets, en leur
...onnant des formes
...ouvelles et originales.

toiletteur

Il fait la toilette des chats et
des chiens, tond leur pe-
lage, vend des produits et
des accessoires.

tourneur

...travaille sur une
...achine appelée « tour »
...ur fabriquer des pièces
... forme cylindrique.

trapéziste

Il évolue sur un trapèze,
soit pour une compétition
sportive, soit pour un
spectacle de cirque.

vétérinaire

Il soigne les animaux, les vaccine. On l'appelle lorsqu'un animal de la ferme va avoir son petit.

vitrier

Il découpe et vend les plaques de verre, les miroirs. Il pose les vit sur les fenêtres.

viticulteur

Toute l'année, il soigne, traite et taille sa vigne. En automne, il vendange le raisin.

zoologiste

Il cherche à mieux connaître la vie des maux. Il découvre par de nouvelles espèces